Tengo celos

ALBATROS

Mis emociones

Tengo rabia
Tengo miedo
Tengo celos
Estoy triste

Publicado por primera vez en 1993
por Wayland (Editores) Ltd. Inglaterra

Traducción: Silvia Sassone
Asesora psicopedagógica: Lic. Lucia Molteni
Asesora de redacción: Prof. Susana Chiappetti
Supervisión: Jorge Deverill

Tengo celos
1ra. edición - 3ra. reimpresión - 3000 ejemplares
Impreso en Gráfica Pinter
México 1352 - Buenos Aires - República Argentina
Agosto de 2008

J. Salguero 2745, 5°-51 (1425)
Buenos Aires - República Argentina
Email: Info@edalbatros.com.ar
www.edalbatros.com.ar

ISBN 978-950-24-0640-4

Moses, Brian
Tengo celos. - 1a ed. 3a reimp. - Buenos Aires : Albatros, 2008.
32 p. ; 21x19 cm. - (Mis emociones)

ISBN 978-950-24-0640-4

1. Educación en Valores. I. Título
CDD 370.114

Tengo celos

Texto de Brian Moses

Ilustraciones de Mike Gordon

Cuando tengo celos me siento como...
un monstruo de ojos verdes
todo retorcido por dentro,

un perro que envidia al gato
que descansa sobre la falda de su dueño.

Cuando tengo celos...
me encierro con malhumor
en mi habitación,

no quiero hablar con nadie.

Hago un dibujo y después
lo garabateo todo.

Pero...¡que inteligente!

Hay un montón de cosas que me dan celos. Cuando mi hermanita está aprendiendo a caminar y parece que yo no existo para papá y mamá...

tengo celos.

Cuando mi vecino tiene
una bicicleta nueva...

tengo celos.

¡Pero mi bicicleta es muy veloz,
aunque no sea nueva!

Cuando mi hermano y yo jugamos,
él siempre gana y yo tengo
celos.

Pero un día lo voy a vencer.

Cuando mi mejor amiga toma la merienda con algún otro chico, tengo celos.

Siempre digo que no voy a volver a jugar con ella.

Pero más tarde la llamo por teléfono
y me disculpo porque yo sé que
todos tenemos otros amigos.

Cuando es el cumpleaños de mi hermana
y hay montones de regalos,
todos para ella... tengo celos.

¡Pero dentro de un mes
y veinticinco días,
todos los regalos
van a ser para mí!
ABRIL

Cuando mi maestra elige a otro
para alimentar a los pecesitos,
tengo celos.

Pero luego ella me elige para repartir
los libros nuevos de la biblioteca y
¡a mí me gusta más ese trabajo!

Cuando mi hermano mayor se marcha para quedarse con mis abuelitos...

tengo celos.

Pero mami dice que puedo invitar a dormir
a mi amiga y yo sé que la vamos
a pasar fantástico.

Cuando siento que tengo celos,
es importante que recuerde todas
las cosas buenas que tengo.

Ayuda si me siento feliz por
mis amigos y disfruto con
lo que ellos tienen.

Ayuda si habla con mi abuelito.
Él parece que sabe cómo me siento.

Ayuda si pienso en que pronto
me puede suceder algo especial.

Sin embargo, a veces lo que
yo hago puede hacer que otros
chicos sientan celos.

Si hago alarde de mis juguetes...

o de lo bien
que nado.

De modo que la próxima vez que tengas celos, recuerda que a veces los otros chicos pueden sentir celos de ti.

¡Sé feliz con lo que tienes
y deja de lado esos celos!

Consejos para padres y educadores

Lea este libro con los niños, ya sea en forma individual o en grupo. Hágales preguntas sobre cómo se sienten cuando están celosos de alguien o de algo. ¿Cuál de las ideas de las páginas 4 y 5 se acerca más a cómo ellos se sienten? O ¿imaginan ellos sus celos de una manera distinta? ¿Pueden ilustrarlos?

¿Cómo se comportan los niños cuando tienen celos? Ayúdelos a escribir frases cortas y que cada una de las líneas comience con "Cuando tengo celos..."
Cuando tengo celos, no quiero jugar con nadie.
Cuando tengo celos, no me gusta ninguno de mis juguetes.
Cuando tengo celos...

Pregúnteles a los niños si creen que los adultos también sienten celos. La mayor parte del libro ilustra situaciones en las que los niños pueden tener celos. Pídales que, si es posible, amplíen dichas situaciones. Los niños, por supuesto, a menudo no se dan cuenta de que los sentimientos de enojo y frustración son máscaras de sus celos. Puede ser interesante pedirles que realicen máscaras que muestren celos y luego hablar con ellos de los expresiones que han representado. ¿Cuál fue la mejor máscara para representar en forma visual el sentimiento?

A algunos niños les gusta escribir o representar historias que se concentran en situaciones de celos. Tal vez les guste analizar una de las situaciones que aparecen entre las páginas 6 y 20 - "No es justo, quiero una bicicleta nueva..." "¿Por qué no puedo quedarme en la casa de los abuelitos?" etc. ¿Será el desenlace positivo o negativo? A los niños más grandes pueden gustarles dos tipos diferentes de final para sus historias, que muestren cómo resolver de ambas formas el problema.

Hable de cómo nuestra propia conducta afecta a los demás. Pídales a los niños que hablen y escriban sobre las cosas que podrían hacer que otros se sientan celosos. ¿Existen formas en las que podríamos cambiar nuestras conductas, a fin de evitar estos efectos en los demás?